幼儿版 十万个为什么

可爱的人体

主编 黄双红

编写 陈琪敬

河北出版传媒集团公司

河北少年儿童出版社

图书在版编目（ＣＩＰ）数据

可爱的人体 / 陈琪敬编写． —石家庄 ： 河北少年儿童出版社， 2011.9
（幼儿版十万个为什么）
ISBN 978-7-5376-4365-8

Ⅰ．①可… Ⅱ．①陈… Ⅲ．①常识课－学前教育－教
学参考资料 Ⅳ．① G613.3

中国版本图书馆 CIP 数据核字（2011）第 173602 号

幼儿版十万个为什么　可爱的人体

主　　编：	黄双红
编　　写：	陈琪敬
责任编辑：	孙卓然
插图绘制：	李秋红
装帧设计：	潘宝宝

出　　版：	河北出版传媒集团公司
	河北少年儿童出版社
地　　址：	河北省石家庄市中华南大街 172 号　　050051
印　　刷：	北京联兴盛业印刷股份有限公司
发　　行：	全国新华书店
开　　本：	190 毫米 ×240 毫米　　1/12
印　　张：	6
版　　次：	2011 年 9 月第 1 版
印　　次：	2014 年 7 月第 13 次印刷
书　　号：	ISBN 978-7-5376-4365-8
定　　价：	13.80 元

目录

身体的奥秘

成长的困惑

斗识人体

请宝宝指出图中脊柱、大脑、五官、心脏、肺、肝、肠、胃分别是下面哪些器官。

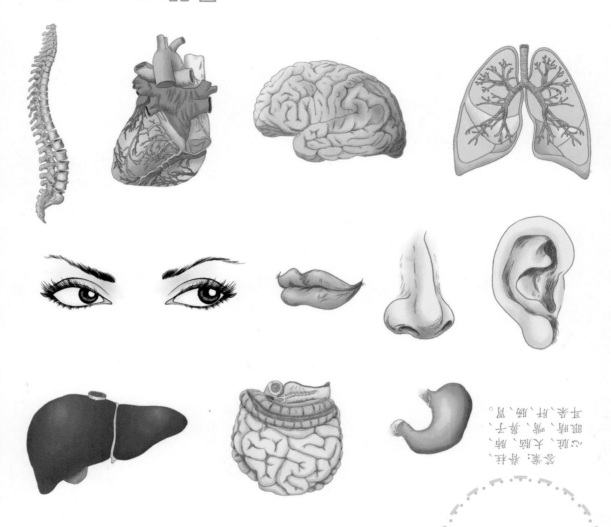

答案：脊柱、
心脏、大脑、肺、
眼睛、嘴、鼻子、
耳朵、肝、肠、胃。

如果宝宝说对了8个以上，那恭喜您，您的宝宝是小博士。快把宝宝的照片贴在旁边吧！

宝宝是从
哪里来的?

　　妮妮在牧场看见许多刚出壳的小鸡，就问妈妈："小鸡是从鸡蛋里孵出来的，宝宝是从哪里来的呢？"妈妈笑了，说："爸爸身体里的一个精子和妈妈身体里的一个卵子相遇，结合成受精卵，然后在妈妈肚子里一个叫子宫的'小房子'里慢慢长大，长到约40周时，就生出来了。这个小家伙就是宝宝。"

小叮咛

　　宝宝刚出生时，一般会哇哇大哭。宝宝的第一声啼哭是宝宝自主呼吸的开始。

我在妈妈肚子里的时候干什么？

晚上，丫丫躺在妈妈怀里听故事。故事里说胎儿在妈妈肚子里有喜怒哀乐。丫丫非常好奇地问妈妈："我在您肚子里除了有喜怒哀乐的表情外，还做些什么呢？"妈妈说："你在妈妈肚子里时，大部分时间在睡觉。通过吸取妈妈身体内的营养长大，你长大到一定程度后，不仅能听，还会做各种动作，非常可爱！"

小叮咛

胎儿六七个月时，在妈妈肚子里会做不少事情，如伸伸胳膊、动动腿。再大一点儿，还会微笑、皱眉头、吮吸、打哈欠，甚至还会扮鬼脸呢！

人的身体是由哪几部分组成的？

丁丁对自己新买的小兔子爱不释手，可喜欢和小兔子说话了："小兔子有腿，我也有。小兔子有脑袋，我也有。妈妈，小兔子的身体组成和我一样呢！""不一样。我们的身体是由头、颈、躯干、四肢四部分组成，左右对称。小兔子比我们还多了一条短短的小尾巴。"

小叮咛

人类的祖先是有尾巴的。但在进化的过程中，由于大脑越来越发达，动作越来越灵活，尾巴失去了原有的功能，慢慢地退化掉了。

人为什么会有男有女？

"这边是男卫生间！"豆豆拉着小表弟的手在找厕所。"豆豆哥哥，人为什么会有男有女啊？""男、女性别是由细胞中的性染色体决定的。爸爸的精子细胞里有X染色体和Y染色体，妈妈的卵子里只有X染色体。如果精子中的X染色体与卵子中的X染色体结合，形成XX受精卵，就会长成女孩；如果带有Y染色体的精子与卵子中的X染色体结合，形成XY受精卵，就会长成男孩。"

小叮咛

不管男孩还是女孩，都是父母的宝贝，都是独一无二的，所以要珍惜自己的生命。

人为什么 都有 肚脐眼儿？

"小朋友，人有几只眼睛？"幼儿园里，老师在提问。"我有三只，还有肚脐眼儿！"东东把手举得很高。"肚脐眼儿可不是眼睛。宝宝在妈妈肚子里时，通过一根叫脐带的小管子从妈妈的血液中吸取营养和呼吸氧气。宝宝出生后，这根小管子不用了。医生剪掉后，会在宝宝肚皮上留下一个圆圆的痕迹，这就是肚脐眼儿！"

小叮咛

肚脐眼儿很容易着凉，小朋友睡觉时，一定要盖被子。平时也不能用手去抠肚脐眼儿。

人体的一切活动 都是 大脑 在 指挥吗？

"妈妈，人体的一切活动都是受谁指挥的？"娜娜一边看动画片一边问。"宝贝儿，大脑就是人体一切活动的总指挥。我们的眼、耳、口、鼻、身体就好比是它的'侦查员'、'通讯员'。它们不断把外界情况报告给大脑，大脑再根据情况做出判断，指挥身体各部分采取一致的行动。"妈妈耐心地说。

小叮咛

经常参加体育锻炼，加强大脑与身体各个器官的联系，会改善身体状况和提高全身的协调能力，小朋友一定要适当多运动。

人为什么会眨眼睛？

"妈妈，气球好漂亮，我要一眼不眨地看着它！"点点用小手紧紧拉着气球的绳子说。妈妈耐心地对点点说："眨眼可以放松眼部肌肉，使眼睛得到休息；会把眼泪均匀地抹在眼球上，防止眼球干燥；还能冲掉一些落入眼中的灰尘。适当眨眼有好处哦！"

小叮咛

有的小朋友，因为调皮故意眨眼睛，以后慢慢形成了频繁眨眼睛的坏习惯。这样的做法不可取，小朋友可千万不能这样做哦。

人的眼泪为什么是咸的？

"哇——"形形今天第一天上幼儿园，想妈妈想得哭了。潇潇跑过来亲亲她，说："别哭，别哭！咦？"潇潇舔舔嘴唇，"你的眼泪好咸呢！""妈妈说我们平时吃的食物里都有盐分，当盐被吸收后，就会跑到汗水、血液、眼泪里。"说着，形形停止了哭泣，忘记想妈妈了。

小叮咛

盐的主要成分是钠，当钠与钙经过肾脏时，钠会比钙先被身体吸收，而钙却随尿液流出去了，这样就影响了骨骼生长。所以小朋友要少吃盐！

人为什么会换牙齿？

妈妈来幼儿园接欢欢。欢欢看见妈妈却哭了，说："妈妈，我的一颗牙齿掉了！""宝贝儿，别哭，别哭！牙齿掉了是因为你长大了。乳牙不会长大，所以只能用新牙来替换它了。新长出来的牙齿会又大又结实，它们的名字叫恒牙。"

听了妈妈的话，欢欢高兴地笑了："哦，原来是要长新牙了呀！"

小叮咛

小朋友小时候的牙齿叫乳牙，等小朋友长到六七岁的时候，乳牙就开始慢慢地被新长出来的结实的恒牙换掉。

人体的 血液 为什么是 红色 的？

幼儿园里，老师问："小朋友，血液为什么是红色的？"丁丁说："因为涂了红颜料！"老师摇摇头，说："人体的血液中含有红细胞，红细胞内有红色含铁的血红蛋白，这使得红细胞成为红色。当血红蛋白与氧气结合时，血液就呈鲜红色；当血红蛋白没有与氧气结合时，血液就呈暗红色。"

小叮咛

小朋友的皮肤划破流血了，血液里的"卫士"血小板就会向出血的地方聚集，同时释放出一些化学物质，使血管收缩变细，血流减慢，这样有利于止血。

鼻子 为什么 能闻出 各种气味 ？

"妈妈，我闻出您在做红烧排骨了！为什么鼻子能闻到气味？"乐乐摸摸鼻子说。"那是因为鼻腔里有嗅黏膜，上面分布着大量的嗅细胞。当嗅细胞上的细毛捕捉到气味时，就会马上向大脑报告，于是你的鼻子就会闻到各种气味了。"不一会儿，妈妈真的端出来一盘红烧排骨。

小叮咛

一般人的嗅觉都比较灵敏，人的嗅觉能分辨 2000~4000 种气味。但如果感冒了，病毒或细菌会损害黏膜和嗅细胞，鼻子就闻不到气味了。

人为什么会流鼻涕？

东东昨天晚上睡觉着了凉，今天流鼻涕了。这是为什么呢？当我们感冒时，病毒侵入鼻腔，使黏膜肿胀，这时，鼻子就会分泌更多的黏液，从而把病毒杀死并排出体外，这就是鼻涕。此外，眼睛和鼻子之间有一个细小的管道连接着，当我们哭泣时，眼泪会顺着小细管流到鼻腔，因此哭泣时也会流鼻涕。

小叮咛

有鼻涕时，不能使劲用手擤鼻涕，因为鼻腔里有一根管跟中耳是相通的。当我们同时按住两个鼻孔使劲擤鼻涕时，会产生很大的压力，容易把细菌压进中耳。

为什么舌头能尝出各种味道？

"小舌头，吧嗒嗒，尝出味道全靠它。"丁丁边走边念儿歌。"妈妈，人的舌头真能尝出各种味道吗？"妈妈点点头，说："是的，人的舌头上有许多味觉细胞，叫味蕾。当舌头碰到食物后，味觉细胞就会受到刺激，引起兴奋，把消息报告给大脑，然后就知道是什么味道了！"

舌头不同部位的味蕾感觉味道的敏感度不同，如舌尖对甜味敏感，舌尖两旁对咸味敏感，舌根对苦味敏感，舌中部两旁对酸味敏感。

人的骨骼有什么作用？

皮皮在人体展览中心看见许多人体骨骼，不禁问："爸爸，人要是没有骨骼会怎样？""骨骼就像人体的支柱，没有了支柱，人体就会倒下来，瘫在地上。骨骼还保护着人的重要器官，如人的脑颅骨就像一个钢盔，保护着柔嫩的大脑；脊柱保护着细软的脊髓，胸骨保护着心脏、肺等内脏。"爸爸摸摸皮皮的脑袋说。

小叮咛

小朋友平时要多吃些含钙质的食物，还要多晒太阳，来补充骨骼生长所需要的钙质哦。这样，骨骼才能更结实，才能长得更快。

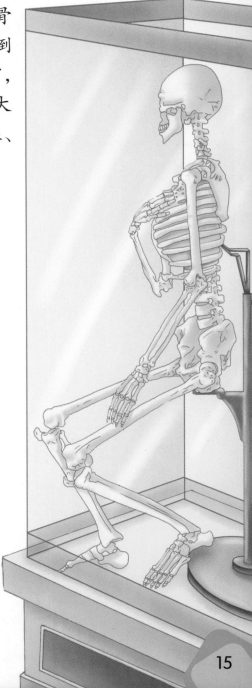

人的骨头折断了为什么还能长好？

米米玩耍时，不小心腿骨折断了，很伤心。"以后要注意安全，骨头折断了还能长好，别太担心。"妈妈不停地安慰他，"人的骨头表面覆盖着一层很薄的骨膜。骨头折断后，这层骨膜的深层细胞就活跃起来，不断增生和产生新生骨，而且越长越多，最后像座桥一样，接合骨折两端，折断了的骨头就愈合了。"

小叮咛

人体的骨骼分为颅骨、躯干骨、四肢骨三个主要部分。骨由骨膜、骨质和骨髓组成。

人的 头发有多少根？

多多摸着妈妈的头发，说："妈妈的头发真多，就像天上的星星，数也数不清呀！""多多，人的头发是能数清的。但是每个人的头发数量都不相同，平均大约有 8 万~10 万根。每根头发经过 2~6 年就更换一次，正常人一天大约会掉 30~120 根头发。但新头发会不断地长出来。"妈妈笑着说。

小叮咛

人类把头发梳成各种各样的发型，起到装饰的作用。头发有一定的弹性和韧性，可以减缓冲撞，能保护我们的头部。头发还能保暖，可以防止头部热量散发。

为什么人
的皮肤颜色不相同？

幼儿园来了位非洲孩子，小朋友好奇地问："你皮肤黑，是吃巧克力吃的吧？"老师笑了，说："人的皮肤内有一种叫黑色素的东西，它决定着皮肤的颜色。非洲人皮肤里黑色素多，皮肤就黑；欧洲人皮肤里黑色素少，皮肤就白。"

小叮咛

阳光中的紫外线能穿透我们的皮肤，使黑色素扩散到细胞中的各个角落。所以晒过太阳后，人的皮肤会变黑。晒黑的皮肤会阻挡部分透入皮肤的紫外线，对身体有保护作用。

人害羞的时候为什么会脸红？

皮皮是个腼腆的孩子，一见到陌生人就害羞脸红。这是为什么呢？原来人害羞时，精神会紧张，支配面部皮下血管的神经兴奋，于是脸上的毛细血管扩张，流到脸部的血液增多了，脸就变得红红的了。

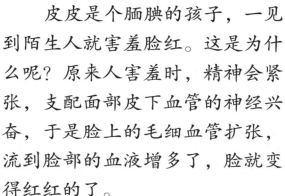

小叮咛

有些人在受到批评时会脸红，有些人在愤怒或者害怕时会脸红，这都是因为在神经作用下面部血管扩张,血液流量增多的缘故。

心脏停止跳动，人就死了吗？

人的心脏是生命的发动机。心脏非常忙碌，时刻在不停地跳动，不停地把血液吸进和放出，这样，就使血液在全身循环流动，给全身带去氧气和营养物，并带出各种废物。如果心脏不跳了，大脑得不到新鲜的血液和氧气，脑细胞就会死亡。大脑这个司令部不能工作了，人也就死了。

小叮咛

人体中的血液如果停止流动4~6分钟，大脑就会死亡；10~20分钟后，肝脏、肾脏功能就会丧失。

长高长大的 奥秘

爸爸、妈妈和宝宝，快来看看哪些因素会影响宝宝的生长发育。

体弱多病

爸爸妈妈的身高

经常锻炼

不爱吃饭

很少生病

不喜欢运动

营养均衡

答案：爸爸妈妈的身高、经常锻炼、很少生病、营养均衡。

如果宝宝答对了 3 个以上，那恭喜您，您的宝宝是小博士。快把宝宝的照片贴在旁边吧！

21

人为什么要吃饭？

一到吃饭的时间，妈妈就会为西西准备好丰盛的饭菜。西西嘟着小嘴问道："妈妈，人为什么要吃饭啊？"妈妈耐心地解释："因为食物能提供能量和营养，只有吃得饱饱的，人才有劲儿学习、工作和玩耍；小朋友才能够长高长大呀！"西西听后点了点头，埋头吃起饭来。

小叮咛

食物中含有人体所需要的各种营养物质，小朋友要想身体棒棒的，就不能偏食，各种食物都要适当地吃一些。

怎样才能长得像妈妈一样高？

"跳一跳，长一长，妈妈，我什么时候能长得像您一样高呢？"豆豆边跳边说。妈妈拿来一块纸板，说："豆豆，妈妈在纸板上写几个答案，你要是能按正确的答案做，就一定能长高。"

A、多运动；B、不运动；C、不爱吃饭；D、不挑食；E、睡眠充足，适当晒太阳；F、睡得少，不晒太阳。

豆豆在 A、D、E 上打了钩钩。妈妈说："选对了！豆豆将来一定会和妈妈一样高的！"

小叮咛

人的一生中，有两次长个子的高峰期。第一次是出生后第一年，第二次是青春发育期。

人为什么不是年龄越大个子越高？

"我老了，瞧，个子都缩了！"爷爷和爸爸比个儿。"妈妈说个子会越长越高，可爷爷怎么越长越矮了呢？"爷爷把奇奇抱到腿上，说："人进入老年后，脊椎骨中间的椎间盘和髓核会退化，使脊柱变短；同时，由于人老了后肌肉萎缩，肌力变小，脊柱变弯，所以身高就比年轻时矮了。"

小叮咛

人的身体早上比晚上要高。白天人活动时，关节受到重力的压迫，身体变矮；晚上人休息时，关节放松，骨节不受压迫，早上起床时，身高又复原了。

爸爸为什么会长胡须？

爸爸出差回来，抱起宝宝就亲。"不要，爸爸的胡子扎人！"宝宝把小脸藏了起来。"爸爸是男人，身体里有一种叫雄性激素的东西，它能刺激男人脸上长出毛茸茸的胡须。雄性激素分泌得多，胡子就密；分泌得少，胡子就稀疏。好吧，为了亲宝宝，我去刮胡子。"爸爸放下宝宝笑着说。

小叮咛

男孩在13～15岁生长发育加快，进入青春期，开始长胡须；女孩体内雄性激素少，雌性激素多，雌性激素能阻止胡须生长，所以女孩不长胡须。

人为什么

要穿衣服？

　　"妈妈，人要穿衣服，小鸟怎么不穿衣服？"大牛看着笼子里的小鸟，问妈妈。"寒冷的冬天，人穿上厚厚的棉衣可以保暖，身体不会被冻伤。夏天天气热，穿上薄薄的夏装，皮肤不容易被太阳晒黑、晒坏。另外，穿衣服也是为了美观呀！其实，小鸟也穿了衣服，它身上的羽毛就是它的衣服呀！"

小叮咛

　　正处在生长发育期的小朋友，不要穿太紧身的衣服。衣服包裹在身上会压迫血管，影响血液流通，还会影响身体的生长发育，甚至会造成畸形。

男孩为什么不能穿裙子？

"老师夸拉拉的裙子漂亮，妈妈，我也想穿裙子！"聪聪撅着嘴巴说。"男孩和女孩的生理构造不一样，所以穿的衣服也会不一样。你是男孩，男孩应该穿男孩的衣服，你看幼儿园里的男孩都不穿裙子的。""嗯，我知道了！"聪聪脸上露出了笑容。

小叮咛

妈妈可以找一些"看图识男女"的图片，加强孩子对男孩、女孩的区分，强化孩子的性别意识。

27

男孩为什么站着尿尿，而女孩为什么蹲着?

WC

"欢欢，你尿裤子啦？"老师问叉开腿走路的欢欢。"哇——我想像嘟嘟一样站着尿尿，可是……""乖，别哭了！嘟嘟是男孩，尿道长；你是女孩，尿道短。如果像嘟嘟那样站立撒尿，尿就不能完全尿在地上，滴到裤子上，就把裤子弄湿了！""嗯，知道了，下次我蹲着撒尿！"欢欢低下头说。

小叮咛

女孩小便后最好用清洁的卫生纸擦一下屁股，如果不擦，会把尿液弄到内裤上，长时间穿着会滋生细菌，影响身体健康。

为什么双胞胎长得很像呢？

米米在照镜子。她动，镜子里的人也动；她笑，镜子里的人也笑。"妈妈，世界上有长得和我一样的人吗？"米米问。"世界上没有一模一样的两个人。单卵双胎的双胞胎会长得很相像。当妈妈身体里的一个卵子受精后，在发育的时候一分为二，形成两个胚胎。这两个胚胎出自同一个受精卵，接受完全一样的染色体和基因物质，因此性别相同，外貌也非常相像。"

小叮咛

当妈妈身体里的两个卵子分别与两个精子结合后，会形成两个宝宝，这也是双胞胎。但是这种双胞胎的基因不相同，性别也不一定相同，长相也不太相像。

29

为什么人没有翅膀？

傍晚，兜兜看见一群大雁排着队伍飞过来，激动地喊："妈妈，我们为什么没有翅膀呢？我也好想在空中飞呀！"妈妈笑了："人和鸟类是两种不同的动物。鸟的翅膀是由轻盈灵活的骨骼、发达的肌肉和浓密的羽毛构成，而人类没有翅膀，所以不能飞翔，这是动物在进化过程中自然选择的结果。"

小叮咛

动物进化的过程漫长而复杂。脊椎动物进化的顺序是：鱼类、两栖类、爬行类。为了适应不同的环境，爬行类动物分别进化成了鸟类和哺乳类动物。

为什么热了身体会出汗？

　　"全身黏糊糊的，下午玩的时候出了很多汗吧！"妈妈领着皮皮走进卫生间。"妈妈，为什么热了会出汗呀？""剧烈运动或天热时，人的体温升高，为了把热量散发出来，身体就开始出汗。出汗是人体重要的散热方式。通过出汗，可以使人的体温保持恒定。"妈妈打开淋浴说。

小叮咛

　　汗不仅能带走身体的一部分热量，还能把体内的废物带出来呢，所以天热时要少量多次地补充水分。

为什么生病了要吃药？

　　"琪琪，吃药！"妈妈拿药给感冒了的琪琪吃。"妈妈，为什么生病就要吃药啊？""人生病是由多种原因引起的。像你现在的感冒，是由细菌感染引起的，吃了治感冒的药，就能杀死那些细菌，你的病就好了！"听了妈妈的话，琪琪听话地接过小药片。

小叮咛

　　药能治病，必须对症下药才行。小朋友病了，吃药一定要问妈妈，自己千万不要乱吃。

为什么要打预防针？

幼儿园里，小朋友们在注射疫苗。"亮亮好勇敢，打预防针都没哭！小朋友们要向他学习哦！"老师拉着亮亮的小手，对小朋友们说。"妈妈说应该给小孩打预防针。疫苗进入人体后能产生免疫力，可以抵抗细菌、病毒的侵入。打了预防针后，就不会得传染病了。所以我不哭，我是男子汉嘛！"亮亮拍拍胸口说。

小叮咛

预防接种的疫苗是一种经过处理后不会致病的细菌或病毒。预防接种后，小朋友一般反应较轻，不需要做特别处理，适当休息1～2天就可以恢复。如果有异常症状，要马上去医院。

天冷 小便为什么 特别多？

冬天来了，天气寒冷，悠悠喝热开水保暖。可是，喝完后，老上厕所尿尿，小便可真多。为什么天冷时，小便这么多呢？原来，尿的多少与喝水、出汗、气温、运动等有关系。天气冷了，人运动得少，出汗也少了，体内大部分的水就变成尿排出来了。

小叮咛

人喝进的水，除了变成尿排出体外，有少量的水分从呼吸道挥发，还有一部分水变成汗水排出体外。

人为什么要睡觉？

"抓不到我，抓不到我……"很晚了，丢丢还不睡觉，和妈妈躲起猫猫。妈妈拍拍小床，对丢丢说："要想身体长得快，晚上必须多睡觉。人的大脑中有一个部位叫脑垂体，人睡着时分泌的使身体和骨骼长得快的生长激素是醒着时的三倍。另外，睡觉可以消除一天的疲劳，让人更有精神。"听完妈妈的话，丢丢乖乖地爬上床睡觉了。

小叮咛

有的小朋友喜欢和大人们熬到晚上很晚才睡，这样使身体很疲劳，第二天没有精神，对孩子的生长健康不利。

35

做梦是怎么回事?

　　"我梦见了恐龙!" "我梦见了小鸭子!" 午睡起床,小朋友都开始议论自己的梦。老师笑了,说:"梦是大脑的活动。人在刚要入睡但还没有完全睡熟,或者快要醒来的时候,大部分的脑细胞在休息,可有一些脑细胞还处于兴奋状态,这样就产生了梦。"

小叮咛

　　正常地做梦,不会影响人体的健康。人们睡着以后约有四分之一的时间在梦境中度过,人们做梦时,眼球会转动。

人的头发为什么会变白？

"妈妈，您的头发变白了！"丁丁对正在包饺子的妈妈说。"中国人的头发里，有一种黑色素颗粒，黑色素颗粒越多，头发就显得越黑；相反，黑色素颗粒越少，头发就越白。人年纪大了，黑色素的制造减少了，头发也就变白了。难道这么快我就老了吗？"妈妈边说边跑到镜子前左照右照。"哈哈，别照了，跟您开玩笑的，是白面粉粘到您头发上了！"丁丁笑着说。

小叮咛

有的青少年，由于遗传或者严重的营养不良，或者思考过度等因素，头发也会变白。

脸上的皱纹是画上去的吗？

　　米米在睡着的爸爸脸上画道道。奶奶看见了说："快别画了，多难看！""您脸上不也画了道道吗？不难看呀！"米米看着奶奶说。"这不是画的。奶奶年纪大了，皮肤里的皮下脂肪和水分大大减少了，皮肤变得又松又干，就会出现很多皱纹，看上去就一道道的。"听了奶奶的话，丁丁收起了画笔。

小叮咛

　　婴儿和老年人皮脂分泌较少，皮肤较干燥。冬天，由于汗腺和皮脂腺分泌得少，皮肤比较干燥，容易开裂。

为什么有的人睡觉会打呼噜？

　　幼儿园午睡时，辰辰总是打呼噜，有时候把别的小朋友都吵醒了。为什么有的人睡觉时会打呼噜呢？原来有的小朋友睡觉姿势不正确，导致咽腔缩小狭窄，呼吸过程中就容易发出鼾声。另外，如果生病了，也会打呼噜。

小叮咛

　　要克服打呼噜，睡觉的时候不要仰卧。如果是疾病引起的打呼噜，就要去看医生。

为什么妈妈不让我转圈圈玩儿？

这几天，米米没事就爱自己转圈圈。妈妈有点儿担心，耐心地跟米米讲道理："人体的内耳里长着管理人体平衡的器官，叫'迷路'。那里装着一些像液体一样的淋巴液，在你转圈圈时会随着你一起转动，就起不到平衡作用。人失去了平衡，转圈圈就会头晕摔倒的。"听了妈妈的话，米米懂事地说："妈妈，那我不转了。"

小叮咛

有的小朋友乘飞机、坐轮船时，因为剧烈摇晃，内耳里的平衡器官会受到刺激，人会感到头晕，这时吃点儿镇静药就会好的。

皮肤被碰伤后为什么会发青？

　　"怎么弄的？"妈妈发现嘟嘟腿上有乌青块儿。"玩游戏时和豆豆撞上了！"嘟嘟吐吐舌头回答。皮肤被碰伤后为什么会有乌青块儿？因为皮肤被碰伤后，大脑指挥血液里的白血球赶到那里，和细菌作斗争，有时候细菌很顽固，白血球就会越来越多，大量血液集中在那里，伤口就会又红又肿了，这样就形成乌青块儿了。

　　如果白血球和细菌战斗的时候，双方伤亡惨重，它们就会化成脓液。如果在战斗中，白血球胜利了，红肿就会消失。如果细菌胜利了，就要靠吃药打针消灭它。

41

人着凉了就会拉肚子吗？

"妈妈，我肚子疼，可能要拉肚子了！"早上，南南起床就嚷嚷。妈妈赶紧过来，一边给南南揉肚子一边说："是不是昨晚睡觉蹬被子了？着凉了吧？肚子着凉以后，肠的蠕动就会增加，肠子里还没有被消化和吸收的食物残渣就会随着肠里的大量水分提前排泄出来，这样会造成'拉肚子'！""哎哟！可能是，不好……"南南捂着肚子跑进了卫生间。

小叮咛

小朋友如果吃东西前不洗手，或吃了不干净的东西，把细菌吃到肚子里了，也会拉肚子。

好习惯和坏习惯大集合

宝宝快来看看自己都有哪些好习惯和坏习惯吧。

按时起床　　讲卫生　　讲礼貌　　按时睡觉

爱吃饭　　爱干净　　爱运动　　不挑食　　勤剪指甲

揉眼睛　　睡懒觉　　爱吃零食　　爱哭　　不爱干净

挑食　　不讲卫生　　挖鼻孔　　不爱运动

　　如果宝宝有6种以上的好习惯，那恭喜您，您的宝宝是好习惯小明星。快把宝宝的照片贴在旁边吧！

　　如果宝宝有一些不好的习惯，爸爸妈妈注意喽，要帮助宝宝改掉这些不好的习惯！

为什么要洗澡？

"皮皮，洗澡喽！"妈妈拿着浴巾走过来。"不，不要洗！每天洗澡把皮肤都洗坏了！"皮皮皱皱眉头。"不会的，洗澡是把粘在身上的汗液、皮脂、灰尘、细菌等洗掉，防止它们堵塞毛孔和刺激皮肤。另外，洗澡还可以促进人体的血液循环，使人更有精神和体力。"

听了妈妈的话，皮皮放下玩具去洗澡了。

小叮咛

在生活中，我们的身体经常会接触到各种病菌。据统计，人的皮肤上生活着数以亿计的细菌，此外，人的皮肤上还有螨虫，所以小朋友要勤洗澡。

为什么 早晚 要 刷牙洗脸 ？

　　"小牙刷，手中拿，早晨晚上要刷牙！"老师在教小朋友说儿歌。"每天都要刷牙、洗脸，真麻烦！"豆豆不高兴地说。"牙齿表面有一层胶样的牙菌斑，里面的细菌能产生酸腐蚀牙齿。刷牙是为了清除牙菌斑和食物残渣，保持口腔清洁；洗脸可以把皮肤上的灰尘和脏东西洗掉。这样我们才能健健康康的呀！"老师笑笑说。

小叮咛

　　刷牙时要顺着牙齿生长的方向，上牙从上往下刷，下牙从下往上刷，反复刷动。洗脸时要自下而上，由中央向外部顺着肌肉生长的方向均匀用力。

为什么早睡早起 身体好？

"小懒猪，起床了！早晨空气中的氧离子最多，你可以呼吸更多新鲜空气！"早晨，妈妈喊丁丁起床。"好吧，好吧，晚上我要多玩会儿，晚点儿睡！"丁丁钻出小被窝。"人经过一天的活动，各个器官都需要早点儿休息。睡眠可以消除疲劳，恢复体力，所以要早睡早起哦！""好吧！"丁丁向妈妈做个鬼脸。

小叮咛

　　早睡，一般是指在 21 点左右休息，因为 23 点后，人体各个器官就开始修护排毒了。早晨，一般 6 点左右起床。小朋友要从小养成早睡早起的好习惯。

为什么长时间看电视不好？

　　"皮皮，出来踢球！"多多在楼下喊着。"不去了，我还要看动画片。"皮皮从窗口伸出小脑袋。"妈妈说长时间盯着电视屏幕，眼部肌肉会很疲劳，而且电视里的强光会刺激眼睛，造成近视眼，所以不能长时间看电视的。""好吧，我不看了！"皮皮答应着向楼下走去。

　　长时间坐在电视机前，不仅对眼睛不好，而且总是一个姿势，对骨骼发育也很不利，所以看电视一定要有时间限制。

吃东西前 为什么 要洗手？

　　"别动，别动，洗完手再吃。"姐姐拿开装满水果的盘子。"手接触各种东西，有些东西带有许多细菌，这些细菌会通过食物和餐具直接进入到你的身体里，就会被传染上各种疾病的。""真的吗？好可怕！以后我吃东西前一定要先洗手！"豆豆向卫生间跑去。

小叮咛

　　小朋友，让我们一起来学习怎么正确洗手，跟着妈妈一起来念这首六步洗手歌谣：打开水龙头，冲湿手。关上水龙头，打香皂。手心、手背、手腕、手指、手缝、手指尖。打开水龙头，冲呀，冲呀，冲干净。关起水龙头，拿起毛巾，擦干净。

为什么 不能 留 长指甲 ？

"东东不剪指甲，把小胖挠伤了！"妈妈在给拉拉讲故事。"老师说过指甲每天都会生长，长指甲很容易划伤皮肤，而且脏东西、细菌也会藏到指甲缝里。吃东西时，脏东西和细菌趁机跑到肚子里，我们就会生病了。妈妈，我不学东东留长指甲了。"拉拉伸出小手让妈妈剪指甲。

小叮咛

平时小朋友要养成勤洗手、勤剪指甲的好习惯，这样脏东西就无处可藏了。剪指甲时不能剪得太短，太短了指尖上的皮肤很容易受到伤害。

喜欢吃的东西为什么不能多吃？

"我还要吃！"贝贝吃了好多肉，现在还要吃。"贝贝，人体内每个细胞都是由蛋白质、脂肪、碳水化合物、维生素、矿物质和水六种基础营养素组成的。哪一种吃多了，身体都会出问题的。别吃了，去玩会儿吧！"听了奶奶的话，贝贝撇撇嘴，虽然不高兴，但还是走开了。

小叮咛

有些东西吃多了，有些东西吃少了，都会造成营养不均衡，会影响身体的生长发育。

为什么说挑食不好？

嘟嘟去看卡卡，发现她瘦得连走路的力气都没有了。"你病了吗？"嘟嘟问。"嗯，是因为我挑食，造成了营养不良。医生说每种食物里含的营养各不相同，平时我只挑自己喜欢的吃，使身体成长的各种营养吸收不足，时间长了，就这样了！以后我再也不挑食了，什么都吃！"卡卡解释说。

小叮咛

身体成长需要各种营养。人每天要吃鱼、肉、蛋、奶、豆等各种食物，以便营养均衡。

为什么要多吃水果和蔬菜？

午餐时，老师正在发水果，看见豆豆把碗里的蔬菜挑了出来，于是，走过去说："水果和蔬菜里含有丰富的维生素C。它能保护人体内的毛细血管，增加抵抗力，适当地多吃还可以预防感冒，一定不要丢掉。""原来是这样啊，那我现在要大口吃。"豆豆夹起一根蔬菜送进了嘴里。

小叮咛

维生素C是人体必需的维生素，需要量很大。新鲜蔬菜和水果里，尤其是带有酸味的水果里含量最高，小朋友平时一定要多吃哦！

为什么小孩不能多吃零食？

客人给米米买了好多零食。"真好，有这么多好吃的。"米米拿起这个看看，拿起那个看看。"米米，快吃饭了。你先不要吃零食，不然肠胃得不到休息，吃饭时该吃不下了。老吃零食，时间一长，会造成营养不良，身体的抵抗力也会下降。""知道了，我就是看看！"米米向妈妈扮了一个鬼脸。

小叮咛

很多零食都含有防腐剂、膨化剂等不利于健康的成分；一些色彩鲜艳的食品还加入了一些人工合成的色素，所以小朋友要少吃零食。

为什么 油炸食品 不能 多吃 **?**

"我要吃全家桶！"贝贝拉着妈妈的手走进肯德基餐厅。"贝贝，我们还是别吃全家桶了。肯德基的食物大多属于油炸食品，油炸食品不容易消化，高温油炸的食物，营养成分容易被破坏，而且那些油反复地用，会产生一些对人体有害的物质。""好吧，就买胡萝卜餐包吧！"听了妈妈的话，贝贝改变了主意。

小叮咛

为了孩子的健康成长，家长平时不要给孩子多吃油炸食物，更不要吃用反复使用的油炸出来的食物。

为什么碳酸饮料不能多喝？

　　"真甜呀，你也喝一口！"幼儿园里，皮皮递给东东一瓶可乐饮料。这时，老师走过来说："可乐是碳酸饮料。虽然好喝，但里面含有糖，如果喝得太多，会腐蚀牙齿；可乐里还含有磷酸，如果喝得太多，会影响钙的吸收，影响小朋友的生长发育。所以，碳酸饮料不能多喝。""老师，我就尝一口。"东东舔舔嘴巴说。

小叮咛

　　碳酸饮料中的二氧化碳进入胃里，会增加胃内压力，使胃膨胀，影响胃蠕动，延迟食物排空，容易引起腹部胀痛。

冰激凌为什么不能多吃?

　　炎热的夏天，拉拉一会儿工夫就吃了好几个冰激凌。可是，吃着吃着，拉拉突然喊起来："哎哟，肚子不舒服！"凉凉的冰激凌虽然好吃，但不能吃太多。因为太凉，容易刺激肠胃，吃多了容易肚子疼，严重的会腹泻、呕吐；此外，冰激凌是高糖高脂的食品，因此小朋友也不宜多吃。

　　甜甜的巧克力不能多吃。它含有过多的脂肪和糖，如果小朋友每天吃得过多，这些脂肪和糖就会转化成脂肪，身体就会变得肥胖。

水果和蔬菜为什么要洗干净再吃？

在爷爷家的菜园里，丁丁看见了最爱吃的西红柿，他摘下一个就要吃。爷爷连忙说："不能马上吃。水果、蔬菜在生长过程中要施肥；同时，为了防止害虫的侵害，还喷洒了农药；因此，成熟的蔬菜、水果上不但有灰尘，还有残余的农药和化肥，你不洗就吃会生病的。""这样啊，那我洗干净再吃。"丁丁咂咂嘴。

小叮咛

小朋友在吃水果和蔬菜前，最好先用清水浸泡一会儿，再用洗水果和蔬菜的溶液洗一下，尽可能地清除上面残留的农药和有害的细菌。

57

为什么不能一边吃饭，一边看书、写字？

努努总喜欢一边吃饭，一边看书、写字。可是，忽然有一天她改正了这个坏习惯！原来呀，她听电视里的阿姨说，如果一边吃饭，一边看书、写字，大脑要同时指挥两个"战场"的战斗。这时，流进胃里的血液减少，胃就不能很好地工作，时间久了，就容易得胃病。而且，书本上有许多传染疾病的细菌，要是把细菌吃到肚子里，很容易生病的。

小叮咛

边走路边吃东西的习惯也不好，会不知不觉地咽下空气中漂浮的病菌，身体容易受到损害。

为什么不能憋着大小便？

　　"一个，两个……"多多拍球时两条腿不停地扭来扭去。"你是不是要上厕所啊？"嘟嘟看见了说，"老师说有大小便时不能憋着。憋大便会使大便在大肠内压缩，时间长了大便会干燥，造成便秘。憋尿会让膀胱发胀、疼痛，长期憋着会引发膀胱炎，快去卫生间吧！"刚说完，多多就尿裤子了。

小叮咛

　　人体内每天都会产生很多垃圾和废物。如果不能及时清除这些废物，它们就会进入血液，毒害人体。排便就是在排除人体内的垃圾和废物。

为什么 不能用手 揉眼睛 ?

    "哎呀，不好，眼睛进沙子啦！"一阵风刮过，南南的眼睛睁不开了，她难受地不停揉着。旁边的军军急忙拉着她向保健室走去，说："南南，别揉了。妈妈说手上有灰尘、细菌和病毒等脏东西。如果用脏手揉眼睛，很容易把脏东西带进眼睛里，引起眼睛发炎。瞧，你的眼睛都像小兔子了，快去找医生！"

小叮咛

    小朋友玩耍时，不小心眼睛里进了沙子，应该把眼睛闭上，让眼泪把灰尘冲出来。如果实在不行，就去找医生看。

为什么**不能挖**鼻孔❓

"咦，好脏！"米米皱着眉毛对正在挖鼻孔的皮皮说。"老挖鼻孔，鼻孔里的那层薄黏膜上的细小血管就会被坚硬的手指甲挖破，会引起鼻出血；而且指甲里的病菌也会乘机而入，引起发炎化脓；还有，总挖鼻孔，会把鼻毛碰掉，呼吸时空气中不干净的东西会被吸入肺中，对健康不利。"皮皮不好意思地脸红了。

小叮咛

鼻子里有个叫鼻中隔的区域，它的前下方有一块血管丰富的易出血区，这里的血管浅，很容易抠破，引起鼻出血。

为什么 经常掏 耳屎 不好？

"妈妈，我要掏耳朵！"说着，冬冬把挖耳勺塞进了耳朵。"宝宝，快拿出来，经常掏耳屎会戳破鼓膜，影响听力的；如果挖破了外耳道，皮肤还会发炎、疼痛。""哦，那我不掏了。""真乖！呵呵，耳屎就是不掏，也会随着你的活动自己掉出来的。"妈妈亲了冬冬一下。

小叮咛

耳屎能把风沙和小虫子挡在耳朵外边。如果小朋友耳朵里感觉不舒服时，可用棉签捻进耳道轻轻转动，耳屎就会被带出来了。

为什么要
适当 运动 ？

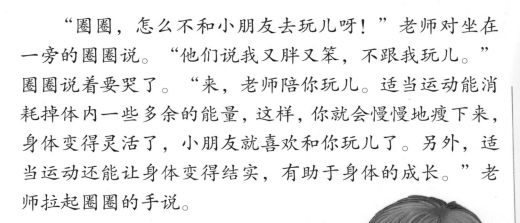

"圈圈，怎么不和小朋友去玩儿呀！"老师对坐在一旁的圈圈说。"他们说我又胖又笨，不跟我玩儿。"圈圈说着要哭了。"来，老师陪你玩儿。适当运动能消耗掉体内一些多余的能量，这样，你就会慢慢地瘦下来，身体变得灵活了，小朋友就喜欢和你玩儿了。另外，适当运动还能让身体变得结实，有助于身体的成长。"老师拉起圈圈的手说。

小叮咛

有的小朋友平时贪吃巧克力、糖果、糕点等，当营养超过了身体需要时，多余的营养就变成了脂肪留在体内，身体就变胖了。

63

小孩 为什么要 适当 晒 太阳 ?

"小兔晒太阳，长得快；小熊晒太阳，长得壮；妈妈，妮妮晒太阳，会怎么样呢？"妮妮看着图画书，问妈妈。"妮妮，适当晒太阳可以促进骨骼发育，还能预防皮肤病，增强人体的免疫功能！"妈妈把遮阳帽戴在妮妮头上，"走吧！现在就去晒太阳！"

小叮咛

在强烈的阳光下晒太阳，时间长了会灼伤人的皮肤，因为日光中的紫外线会破坏人体的皮肤细胞，使皮肤红肿，引起感染。

为什么吮手指不好？

"老师，胖胖吮手指，好恶心！"丹丹捂着嘴巴说。老师走过去，和蔼地说："胖胖，快把手拿出来。手指上有许多细菌，吸吮手指会得传染病；另外，还会破坏手指表面的皮肤组织，造成手指畸形；甚至还会影响牙齿的美观和生长。"听了老师的话，胖胖悄悄把手指拿了出来。

小叮咛

吸吮手指会造成前牙突出；咬下嘴唇会使下颌前牙向后退缩；咬舌头会把前面的牙齿推得突出。

吃饭 为什么 要 细细咀嚼？

"哎哟，好难受！"爸爸对饭菜塞了满嘴的图图说。"怎么啦？"图图问。"我是在替你的胃说话！你吃这么快，食物没经过牙齿嚼碎，也没和口腔里的唾液充分混合，就直接进入胃中，不但增加了胃的工作负担，而且不利于食物的营养吸收！""好，那我慢点儿吃！"图图点点头。

小叮咛

食物从食管进到胃后，胃会把食物搅拌后送进小肠里继续消化。营养物质被小肠壁吸收后，不能消化的食物残渣被送到大肠，最后从大肠进入直肠，从肛门排出体外。

为什么饭后马上运动不好？

航航正在踢球，踢着踢着忽然肚子疼起来。元元见了说："你是不是吃完饭就跑出来了？爸爸说刚吃完饭，大量血液集中在肠胃里帮助消化吸收食物。如果马上运动，部分血液就会流到肌肉中，影响食物消化，会引起消化不良的。""知道了！"航航捂着肚子说。

小叮咛

小朋友如果不按时吃饭，无节制地吃零食，暴饮暴食，或者边吃饭边做其他的事情，都会影响肠胃功能。

怎样 正确 擤鼻涕？

"小朋友，你们会擤鼻涕吗？"幼儿园里，老师正在上常识课。"用手按住鼻子擤！""先垫上手绢再擤！"小朋友们踊跃发言。老师点点头，说："对，先垫上手绢，然后用力，只是不能同时擤两个鼻孔。正确擤鼻涕的方法是按住一侧鼻孔，擤另一侧鼻腔里的鼻涕。然后换一下，按住那个鼻孔，把这个鼻腔里的鼻涕擤出来。"小朋友们都认真地学起来。

小叮咛

如果使劲用两个鼻孔擤鼻涕，很容易把鼻腔里的脏东西通过耳咽管擤到中耳里，引起耳朵疾病。